Pour l'édition originale publiée
sous le titre *Good night little one*
© Jonathan Cape Limited à Londres
© 1972, Robert Kraus pour le texte
© 1972, N.M. Bodecker pour l'illustration

Pour l'édition française
© 1990 Albin Michel Jeunesse
22, rue Huyghens - 75014 Paris
Adaptation de Sabine Louali
Loi 49-956 du 16 juillet 1949 sur les
publications destinées à la jeunesse.
Dépôt légal janvier 1991
N° d'édition 10 212
ISBN 2 226 04074-9
Imprimé en Grande-Bretagne

BONNE NUIT
LES PETITS

Robert Kraus/N.M. Bodecker

ALBIN MICHEL JEUNESSE

1

Un gentil bambin
à son petit lapin...
fait des câlins.

**Sous le lit,
une petite canaille.**

2

**A eux deux,
c'est la pagaille !**

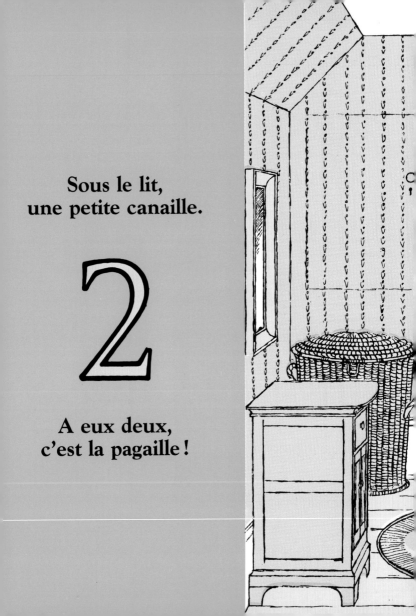

3

**A qui sont ces pieds-là?
Jamais deux sans trois.**

Toc ! Toc ! Toc !
Un retardataire.

4

Le dernier
mousquetaire ?

5

**Un cinquième larron,
et ron et ron
petit patapon !**

Et pourquoi pas six ?

C'est de la folie
dans ce petit lit.

Et maintenant sept.

**Sept petites têtes
qui vont faire la fête.**

Huit ?
Qu'à cela ne tienne,

on se fait tout petit
pour une longue nuit.

9

**A neuf c'est mieux.
On rira encore un peu.**

10

**Dix,
c'est de pire en pire.
Mais il faut dormir.**

Bonne nuit
les petits !